TUDO NELA BRILHA E QUEIMA

CB067258

Ryane Leão

Tudo nela brilha e queima

poemas de luta e amor

ilustrações de laura athayde

Planeta

Copyright © Ryane Leão, 2017
Copyright © Editora Planeta do Brasil, 2017
Todos os direitos reservados.

Preparação: Thais Rimkus
Revisão: Giovana Bomentre
Projeto gráfico e diagramação: Jussara Fino
Ilustrações de miolo: Laura Athayde
Capa: Laura Athayde

Dados Internacionais de Catalogação na Publicação (CIP)
Angélica Ilacqua CRB-8/7057

Leão, Ryane
   Tudo nela brilha e queima / Ryane Leão. – São Paulo: Planeta do Brasil, 2017.

   ISBN: 978-85-422-1180-1

   1. Poesia brasileira 2. Mulheres I. Título

17-1194   CDD B869.1

 Ao escolher este livro, você está apoiando o manejo responsável das florestas do mundo

2025
Todos os direitos desta edição reservados à
Editora Planeta do Brasil Ltda.
Rua Bela Cintra 986, 4º andar – Consolação
São Paulo – SP – 01415-002
www.planetadelivros.com.br
faleconosco@editoraplaneta.com.br

às mulheres infinitas

eu sou um monte de
constelações
brilhando e ardendo
mas nem todo mundo
sabe ver

ou só vê a parte que arde
ou só vê a parte que brilha

quantas vezes minha mãe sentou na beira da cama
e me ajudou a retirar os cacos de vidro dos pés
e disse que poucos mereceriam o meu amor
que o mundo me machucaria porque eu tinha nascido
com coração demais
que eu tinha que parar de ser tão boa
ou não me sobraria nada
além dos cacos
que ela arrancava
com cuidado e paciência
plantando flores
no lugar

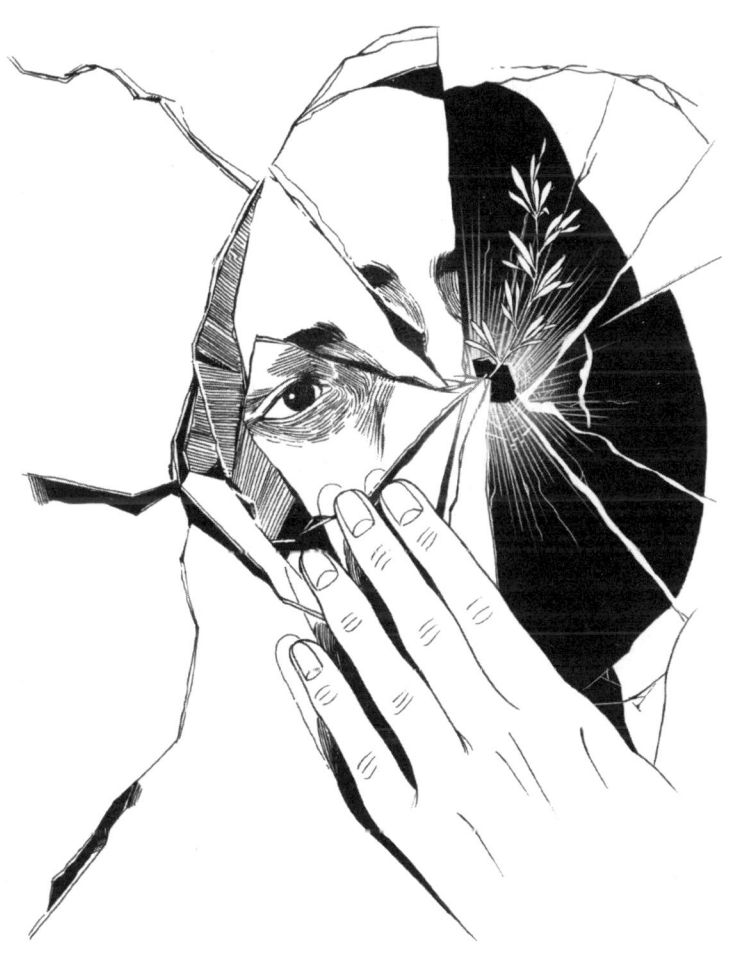

nem todo mundo vai compreender
isso tudo que você é
o que não significa
que você deva se esconder
ou se calar

o mundo tem medo
de mulheres extraordinárias

a única vez que perguntei
para minha mãe se ela nunca mais se apaixonou
ela falou que o único homem em que ela confiou
a deixou em pedaços

nesse dia, uma frase me fez entender
certas feridas que meu pai causou
sangram até hoje

e me perguntei quantos iguais a ele
continuam desmoronando mulheres
por anos a fio

quanto tempo faz
que estou poupando as palavras?

caso se pergunte isso
já passou da hora de ir.

meu deslize favorito
é a sua pele deslizando
na minha.

esvaziar-se inteira
pra preencher outra pessoa

dos meus erros
o maior

você é uma frase bonita
dessas que a gente sublinha no livro
faz tatuagem, conta pra todo mundo
dessas que dividem a gente
em antes e depois

quando
me toco
descubro
minhas margens
desconstruo
minhas normas
desnudo meus
contornos

são meus dedos
fazendo a poesia
que leva meu nome
no título.

não romantize
o que te rasga
o peito.

você me bagunça inteira
e depois me parte
num pedido de desculpas

parece uma competição
de qual impulso teu
vai me destruir primeiro

você não quis ficar
e dessa vez eu não quis insistir
cansei de deixar os outros
racharem minha alma

no espelho
me vi inteira pela primeira vez
em anos

para me descobrir completa
tive que deixar muita gente ir.

até hoje ninguém foi capaz
de medir o seu tamanho
você é caos
e coração
você é oceano
e furacão
te desvendar
é pra quem não teme
mulheres infinitas

só há revolução
quando há amor
por nós mesmas.

ela me contou
que o sonho dela era ser pássaro
quando desabou não teve jeito
acabou encontrando asas no peito
e soube que são essas as que levam
pra todo lugar.

sou de manifestar
aquilo que sinto
gosto de sentimentos
em ebulição
e se alguém se assusta
se acha absurda
a urgência do afeto
se vê como loucura
carregar o coração
também do lado de fora
então que se afaste
entre a expectativa
e a monotonia
escolho o agora.

não tente voltar
para o que
te quebrou.

você se desfaz no meio
das minhas pernas
e me tira o ar
com a língua

li nos muros de são paulo
foda-me com amor

e é isso que digo ao pé do ouvido
entre os lençóis

agora que percebemos
que somos a nossa própria cura
perdemos o medo de gritar
anos de silenciamento
agora provocam vendavais

ao lado das minhas estou a salvo

vamos dando um jeito
vivendo novas estradas
que tapam antigos buracos
ele me disse
paz é melhor que certeza
então é isso
esse alívio aqui dentro
é que vai me levar além.

sigo apaixonada
pela mulher
que batalhei pra ser

se você deslizar o dedo
por entre as minhas veias
vai saber que foi foda
chegar até aqui
mas que eu continuo pulsando
que estou mais viva
do que nunca

sou feita de rupturas
rompo o que querem de mim
e sou apenas o que quero
que eu seja
me refaço
constantemente
me descubro
me liberto
sou o tipo de pessoa
que quero sempre
ter por perto.

quem soube de mim em outros tempos
já não sabe de mim agora
pois quando me quebraram
meus pedaços foram arrumando novos lugares
mais lindos e mais fortes
pra se encaixar nessa mulher que hoje escreve
com punhos firmes e nenhuma culpa
de existir como bem quer

um dia
decidi ser eu
e nunca mais
voltei atrás

quão prejudicial foi esperar suas visitas
olhando a janela até o dia cair
acreditando até o último segundo
que você não seria o tal pai ausente
que eu ouvia falar na escola

tocava blues na única barraca da praia
ma rainey
nina simone
b. b. king
ella fitzgerald
me senti livre
com o sol batendo na cara
e lá eu também perdi o medo do mar
entrei na água com o céu caindo, todo laranja
e soube que dessa vez eu não me afogaria
soube que nunca mais vou me afogar

mulher,
padrões só existem
pra gente quebrar.

você me matou
mas não conseguiu
arrancar do meu peito
a minha vontade louca
de renascer

eu pulso e sinto a eletricidade
correndo no meu corpo
quando você se aproxima

devemos ser mais de cem mil volts

e enquanto as luzes da cidade iluminam
o asfalto ainda quente do verão
aqui nesse quarto cintilamos
e eu fervo e escorro
e nosso movimento
estremece
até
os
meus
ossos

essa noite
somos sol.

presto atenção em todos os barulhos: a chave no trinco do meu apartamento, o botão que aperto no elevador, a porta fechando, a porta abrindo, meus passos rápidos sempre atrasados, o portão de metal do prédio batendo, os carros, muitos deles, as buzinas, as rodas no asfalto, as pessoas, muitas delas, conversando, atravessando, o metrô se arrastando pelos trilhos, telefones tocando, outros passos que não os meus, as portas do comércio se erguendo, o vento forte que mexe as árvores, a vassoura que alguém passa pra tirar as folhas da calçada, os isqueiros acendendo cigarros, o rádio tocando alguma música velha no ponto de táxi da esquina, minha boca mastigando o café da manhã

o relógio marca
sete horas e dez minutos
falta algo
no meio desses dias
que dançam mal
nos meus ouvidos
quanto tempo demora
pra eu me acostumar
a não ouvir mais a sua voz?

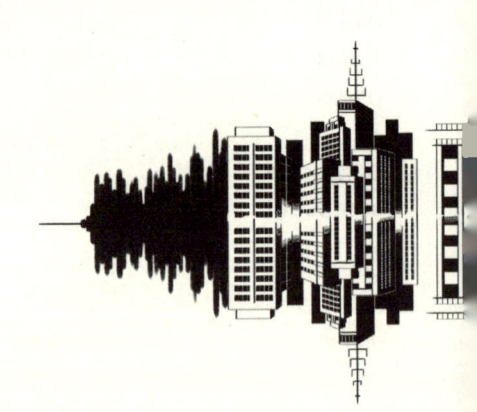

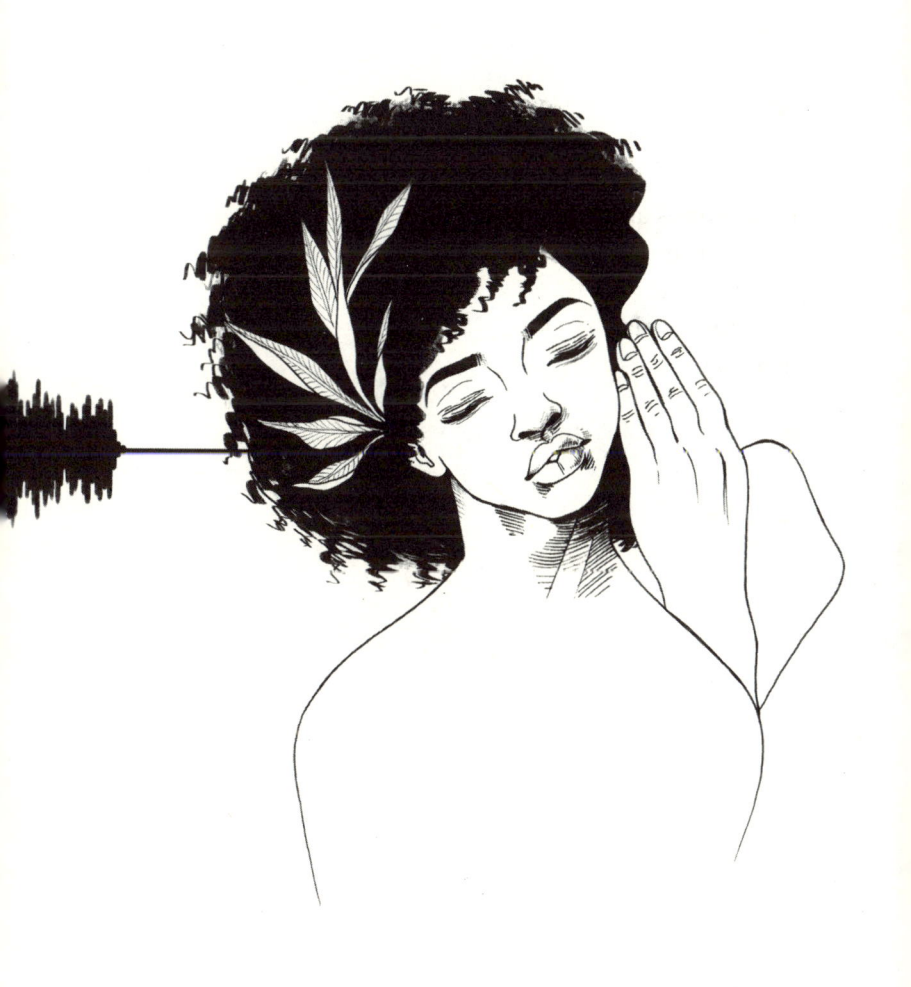

nos amamos alucinadamente
loucos insanos desvairados demais
pra sustentar
as partes sóbrias
do amor

das coisas confortáveis

te conto

sabe, quero me dividir
ando à flor da pele
mas não disse isso pra ninguém
só pra ti

você sorri de canto e me diz

nenhuma solidão
é assim tão impenetrável
nem a sua
nem a minha
vê?

contigo vou baixando
a minha armadura
estou segura

falávamos tanto
que um dia não sobrou
nada pra dizer.

vem chapar comigo
arrancar meu vestido
apertar minhas coxas
vem revolucionar seu corpo
na minha boca
vem se encharcar
nas minhas correntezas
molhar seus dedos
com meu gosto
e se perder
na minha respiração
descontrolada

te convido a escorregar
suas cicatrizes nas minhas
refazer nossas linhas

lembra quando você gritou
que não havia lugar no mundo pra mim?
que eu era desajustada demais
pra ter um canto ou uma cidade
no dia eu chorei
agora agradeço pelo comentário acolhedor
realmente não sou de lugar nenhum
dispenso esse negócio de pertencer
e prefiro as coisas assim
bem livres
voando por aí

você me causa
o impacto de um bom poema

abre meu peito
de um lado a outro
e me faz imensa

não divida tua confusão
com quem não pode
te trazer calma

a raridade dos eclipses

lembra quando você me disse
que olhava pra mim e via estrelas?
eu era noite, eu era lua
e você era dia
a gente já sabia:
não podíamos existir
ao mesmo tempo.

você lidava tão bem com as palavras
mas nunca conseguiu
me ler

qual o seu medo?
toda vez que a pergunta vem
a maioria de nós diz que teme
ficar sozinha
me preocupa
esse assombro que temos
de nós mesmas
e como nos foi ensinado
que não podemos caminhar
e como a pior solidão
é estar cercada de pessoas
que não nos compreendem
mas preferimos manter assim

o meu maior medo
é viver a vida inteira
sem quebrar essas correntes

parece que sou uma planta
e me arrancaram da terra
com força violenta
e me apalparam e tatearam
sem consentimento

esqueceram que tenho raízes

quando as palavras me encontraram
eu escrevi em paredes e peles e blocos
e cadernos e muros
folhas e telas
a poesia
me fez livre.

talvez seja exatamente
o que sai de sua boca embriagada:

amor é lapso de lucidez

tem sido foda
tem sido duro
eu sei, eu sei
então vem cá
vamos rir de bobagens
vamos de cafuné
copos cheios
e doçura
pra amenizar
o amanhã.

meu recado às mulheres

contem
suas histórias

descubram o poder
de milhões de vozes
que foram caladas
por séculos.

cansei de colecionar
coisas ausentes
é tão mais bonito
o tangível

emagreça trinta quilos em três dias
sorria mesmo na merda
faça cirurgias
da cabeça
aos pés
alise o cabelo
pro resto da vida
depile-se
tenha a pele perfeita

negue todas as suas naturezas

quantos imperativos
quantos absurdos
e eu só tentando
ler as notícias do dia
em paz

dos amores que tive
foi o seu que me fez mais só

sua presença me atormenta
onde não posso controlar

nos sonhos
no coração

eu tenho certeza de que passei anos tentando salvar quem me cercava para não ter que deparar comigo mesma. é triste saber que me ocupava a qualquer custo para não me olhar, porque hoje amo contemplar a mulher que sou. pensaram ter me destruído, mas eu voltei todas as vezes. é essa a mágica de amar a si mesma: você aprende a celebrar seus fins e começos e a insegurança aos poucos se desfaz. você descobre que é imensa. é por isso que os homens não falam sobre isso, eles não querem te ver transbordar porque aí você está de volta ao jogo.

para que você lembre sempre de mim

diz a dedicatória
do livro jogado no canto
de um sebo no centro da cidade

apesar de tudo
continuamos dividindo o mesmo sol
e eu espero que você
tenha aprendido
a arder
sem queimar
quem se aproxima

repetirei quantas vezes
for preciso
que a sua casa
é você mesma

acordei com os gritos de minha mãe
expulsando meu pai de casa

eu tinha oito anos
mas entendi
que a partir daquele momento
seríamos ela, minha irmã e eu
contra o mundo

do que eu sei agora

me vi uns anos atrás
e quis dizer pra mim
se ame
antes de tudo começar
depois que tudo terminar
e durante esses espaços todos
se ame.

nós olhamos o mesmo céu
todos os dias
e ainda assim
você não vê
o que eu vejo

você consegue pesar até a beleza
do sol se pondo.

a água do mar está gelada demais e ninguém se arriscou a entrar. já reparou que as pessoas fogem do que pode tirá-las da temperatura ambiente? eu não sou desse jeito. gosto da adrenalina do que tiver que ser será. sempre é, sempre será. tenho pavor de raso, quando metade do corpo fica dentro da água e metade não. eu sou dos fundos, entende?

segura as pontas
que você dá conta, mulher

você não cogitou ir tão longe
e mesmo assim conseguiu

é arrebatador
traçar o próprio roteiro

identidade

foi uma mulher negra e escritora
de pele e alma como a minha
que me ensinou sobre os vulcões e as rédeas e os freios
sobre os tumultos dentro do peito
e sobre a importância de ser protagonista
nunca segundo plano

se você encostar a mão entre os seios
vai sentir os rastros de nossas ancestrais

somos continuidade
das que vieram antes de nós

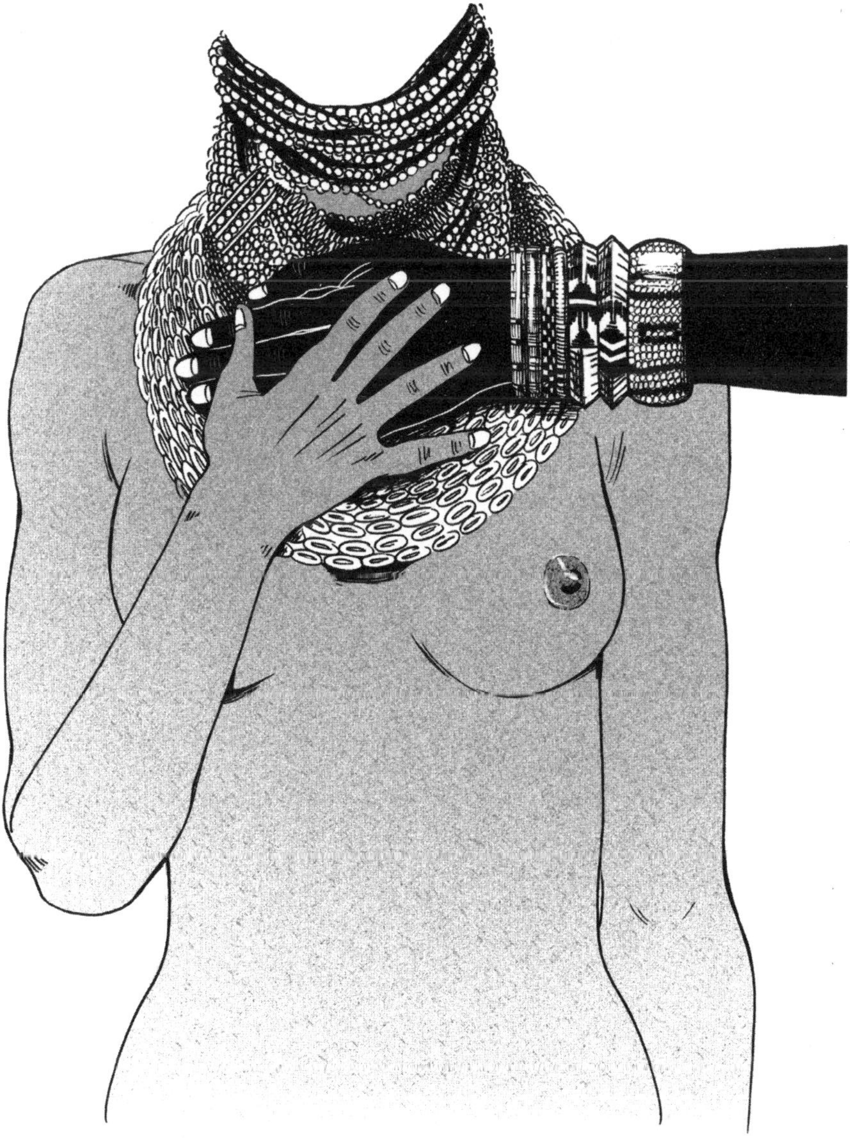

sobre relações abusivas

sobreviver é mais importante
que permanecer

minha vó sentou à mesa num natal
com seus oitenta e poucos anos
e disse que éramos uma família
de mulheres poderosas
que ninguém podia nos derrubar

mas quando eu saía na rua
o mundo não parecia concordar

eles não sabem
que sou feita de revolta e garra
que minha mãe cuidou sozinha
de duas filhas
sem grana nenhuma
num bairro afastado
e que a herança que trago disso
me faz gigante
resistente
indelével

meu silêncio
era teu
prato favorito.

quando despedacei
choveu por dez dias seguidos
e em um deles eu estava de pés descalços
na areia e na grama
vendo a esperanza spalding cantar
sobre mulheres que são diamantes
agradecendo às deusas
os pingos fortes que me caíam no cabelo
e deslizavam pelo meu rosto
eu chorava junto com a tempestade
eu nem sabia que aquele era o começo
da minha cura

eu gosto dos dias banais
de blusão e calcinha, cabelo fora do lugar
esmalte saindo, vinho no copo
música alta, jantinha em casa
confissões sem hora marcada
livros cheios
de anotações
gosto da poesia que brota da ponta dos dedos
e se escreve rápida e urgente
gosto de quem não sabe
conter paixão

minha liberdade
não te pertence

uma da manhã no bar
com quem você gosta
rindo bastante
e uma lembrança ruim
que vem do nada
faz o coração percorrer o caminho
da boca do estômago
e o fôlego faltar
dá vontade de fechar os olhos
e gritar

e mesmo com receio
me mostro e me derramo
porque aqui ninguém vai dizer que sou louca

fique somente
onde te é permitido
desmoronar.

mulher de luta

o beijo dela
tinha gosto
de liberdade.

você se aproxima
e quer fazer morada em mim

não te cabe
já sou meu lar

no meu rosto e nas minhas mãos
você pode ver as mulheres indígenas
que tiveram seus cantos e contos
tomados por outros rostos
e outras mãos

meu sangue também é de cabocla
de benzedeira e feiticeira
posso ouvir os ventos das tribos
me soprando segredos nos ouvidos

não me subestime
jamais

me enlaçou num abraço longo
e mentiu pela última vez.

não lembro
que horas
o relógio marcava
só sei que foi assim
na plataforma
esperando o metrô
que ela entendeu
que precisava
da solidão
daquela mais dura
mais seca
mais silenciosa
ela precisava
se entender de novo
precisava saber
que somos, sim
as nossas falhas
mas não só
e depois de tantas horas
com a cabeça atormentada
ela enfim sentiu o
peito desinchar

e depois de tanto tempo perdida
ela parou de esperar
qualquer coisa de alguém
e finalmente
se encontrou
em si mesma

aí seguiu sozinha
no vagão lotado.

resiste, preta
é o que sinto vontade de dizer
mas sei também que machuca
permanecer na fronte
de pé e armada
sei dos dias
que a gente quer colo
e mais nada
dos dias que a paz
não faz visita
dos dias em que
o aperto no peito grita
você me diz que parece
que vai quebrar
não deixe te fazerem esquecer
que nenhuma espada
pode te cortar
sua raiz tem profundezas ancestrais
é por isso que você já renasceu
tantas vezes em tão pouco tempo
e seu coração é escudo
que mantém viva
sua luta.

é tão delicada a linha
entre lembrar e esquecer
que muitas vezes pra te apagar
sem querer te trago de volta à tona

estar lá pra me salvar

pular do precipício
sem deixar de escrever um poema
que me busque lá embaixo.

sobre dividir baús

quem será que morou aqui antes
será que na insônia andava pelo apartamento
de um lado pro outro
com a cabeça cheia de respostas erradas
pra perguntas que não existem

será que lotou a parede de fotos
será que deitava na cama encarando o teto
será que tinha gatos ou gostava de cozinhar
será que às vezes cansava dessas injustiças todas
da rotina
será que tinha com quem conversar
sobre assuntos sérios ou triviais

será que pensava no tanto de histórias
que alguém pode guardar
por trás dos dias

será que sabia que a gente precisa se ouvir
um pouco mais
um tanto mais.

alguma noite que se perdeu

dançamos jazz como loucas, só luzes vermelhas iluminando nossos corpos, a alegria invadindo os poros que suavam enquanto nossos cabelos balançavam pelo salão. aquele bairro nunca foi tão bonito porque era a primeira vez que ele abrigava nosso sorriso incomum, nossas vozes cantando alto juntas e os nossos papos piegas sobre amor.

você fez todo esse frio parecer lar.

minha saudade se confunde
vira do avesso
sinto falta
do que eu mesma
inventei

ele me deixou uma carta
dizendo que os livros da minha estante
não se importavam comigo
senti tanta raiva
que agora escrevo
pra que as mulheres saibam
que essas palavras
jamais as deixarão

esse costume de te procurar
em lugares que você nunca esteve

naquele restaurante da esquina
no meu livro favorito
ao meu lado

amanheceu com o frio batendo na cama
esqueci de fechar a janela de cima
ando esquecendo algumas coisas
parte delas sem querer
outras porque preciso
desci a rua e a água entrou nos sapatos
e enquanto segurava o guarda-chuva
ele virou pra cima com o vento forte
no frio parece que tudo fica caótico
os pés
as mãos
o coração

tenho tanto a dizer que não sai
é raro escutarem nossos silêncios
e o que não contamos é o que mais queremos gritar
li uma vez um texto que falava de um quarto
lotado de amores que já passaram
em qual colo você escolheria descansar?
eu descansaria no chão sozinha
já não me interessa encontrar
quem se desencontrou de mim
e a solidão não me assombra
me faz boa companhia ▶

▶ eu sei que é foda
mas uma hora a gente aprende
a se mandar antes que tudo se quebre
a desacontecer
antes que nada aconteça
a gente aprende
que entre a bobagem e o amor
a linha é tênue
e que coração só tem vez
se não nos arrebenta
e se faz valer
esse arrepio que corre
e levanta nossos poros
diferente daquele que nos atinge e nos corta
quando o relógio da cidade
marca sete graus às dez da noite
ou daquele quando a memória nos sabota
as sensações fogem o controle
e tudo dói
até mesmo a pele

uma hora a gente aprende
a fechar todas as janelas antes de deitar,
a deixar abertas só as frestas que importam.

eu que sou luta
tenho também batalhas comigo mesma
atrás do melhor de mim

me deixa perder a cabeça e ferver em ódio e reclamar desse
mundo tão ridículo pras mulheres e gritar sobre as vezes
em que tive que trocar de roupa pra evitar que invadissem
meu corpo e que sete horas da noite já é perigoso pra
voltar pra casa e que nos tratam como se estivéssemos em
exposição em praça pública e nos fazem brigar entre nós
por um padrão que esmaga a todas e como é possível existir
um crime que se diz passional e uma série de assédios e
estupros impossível ser normal

me deixa enfurecer
e convocar o motim

solitude

em casa
sozinha
observando
o corpo que me conduz
os dedos dos pés, as tatuagens
a textura da pele

quanto poder guarda essa carne
que já viajou entre pessoas
e estados

os sapatos no chão do quarto
o altar com oferendas
os livros na cama
os gatos dormindo
o sofá vermelho
o incenso com cheiro
de canela

quantas histórias contam
todas essas partes de mim

hoje estou disposta
a me escutar madrugada adentro

às vezes só precisamos
de nós.

ela só ama
onde encontra alma
nas coisas

deve ser amor

há palavras que estão prontas pra sair
mas por algum motivo
ficaram presas ali na minha língua

você sente o gosto delas
quando me beija e me ajuda a libertá-las.

como me apaixono

eu tinha ajeitado as coisas por aqui, troquei os móveis de lugar, enfileirei os livros, estiquei o tapete no piso, virei as gavetas no lixo, esvaziei os cinzeiros, esfreguei bem forte as memórias do chão de taco e do azulejo do banheiro, eu tinha ajeitado tudo antes de você chegar, bem antes de você entrar aqui sem bater, as mãos parecidas com as minhas, os mesmos livros na bolsa, indo contra a ordem que eu achei que tinha conseguido manter, achei que só eu chegava assim, ventando, enchendo os vazios, achei que só eu chegava desse jeito, vasta e desmedida, mas não, você chegou com um coração batendo, batendo, batendo, batendo alto fazendo trilha sonora nova nos meus ouvidos

só deu tempo
de pensar
já era.

corpo tem
mente tem
mas coração
coração não tem
controle

• 99

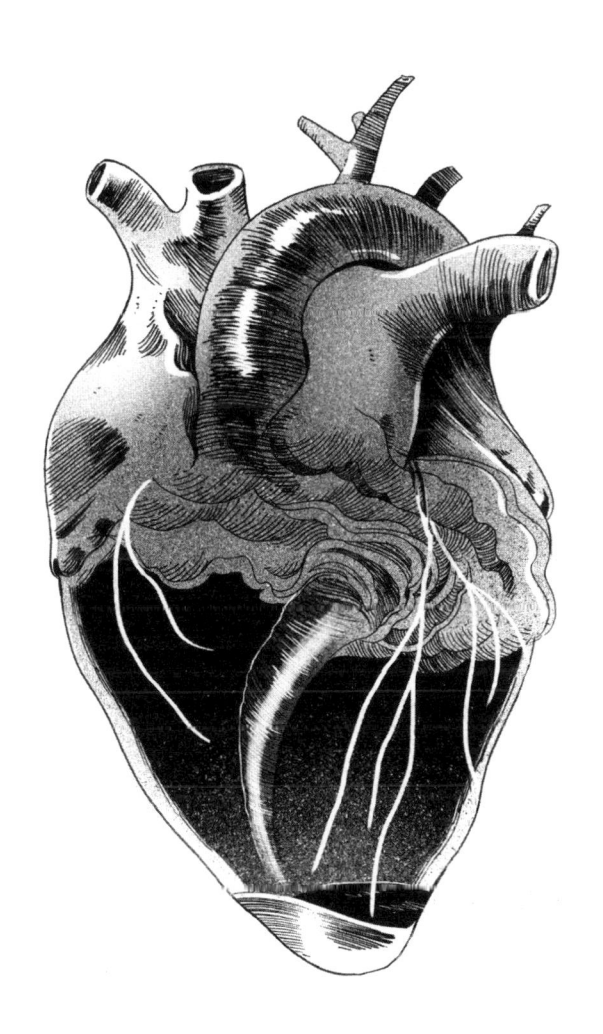

se enganam os que não sabem
que a literatura também é uma arma

a mais carregada
a mais poderosa
tanto que os livros que um dia foram incendiados
ficaram

falar é veneno ou antídoto?

o que você diz
pode ecoar durante anos

as palavras ficam
pra sempre
no universo.

sou ferida aberta
sou garra
sou paixão
sou treva
sou grande
sou erro
sou desordem
soy libre
linda
loca
sou o que quero ser
derrapo
não paro
nessa selvageria
ninguém me devora
me salvo
me viro
sou minha
sou mulher
sou tudo
o que eu quiser.

quem passou por aqui
e mexeu nos meus sentidos
não chegou a bagunçar os meus olhos
já você
você confunde a minha retina
hoje cedo te vi em todos os rostos
que atravessavam a faixa
do centro da cidade.

o sentimento mais confuso
depois do abuso
é a saudade

mas saiba que sentir falta
não determina nada
somente que somos
de carne e osso

quem é você para falar de extremos
ou de como eu me detono e me refaço
se vejo daqui os fósforos e meus pavios
em suas mãos

que essas palavras
atinjam
tudo isso que você é
e te recordem
sobre os seus olhos, o nariz, a boca
o cabelo, os peitos, as marcas e as estrias
a barriga, as coxas e os pés
a cabeça e o coração

te admirar é imediato
você devia tentar

você disse que estaria sempre aqui e desapareceu
você disse que não ia me machucar e me matou
mais de uma vez
você disse que ia voltar e me deixou esperando
você disse que me escreveria e não conversou comigo
você disse que era mentira e era verdade
você disse que seria confortável e foi violento
você disse que éramos estrada e fomos partidas
você disse, disse e disse
até que eu disse
adeus

cada vez que encontro outras mulheres
para partilhar histórias
nos tornamos terra fértil.

preste bastante atenção nas mulheres
que você não julga capazes
pois elas irão causar bem mais
do que temporais

você aguenta o pisar
mas não suporta o levante

você não precisa que ninguém te ensine a voar
está no seu espírito
mas é bom ter quem nos lembre
de que temos asas

perdi a conta de quantas vezes
fui desencorajada
a prosseguir com meus poemas
eu me lembro dos telefonemas
e das risadas do outro lado da linha

é tão covarde quem tenta roubar
nossas possibilidades
e uma mulher que não se esconde
provoca medo

eu avisei que a escrita em mim
não se esgota
eu avisei que duvidava de tudo
menos do meu jogo com as palavras
eu avisei

o que busquei
e não encontrei

me tornei

31 de dezembro

te liguei um minuto antes da meia-noite
os fogos estavam mais altos que nós
e ficamos ao telefone
sem dizer nada

algumas despedidas
são de uma quietude
estrondosa

desejo que os seus amores
te amem também nos seus piores dias
desejo que você não force a barra
e compreenda que o que é seu
inevitavelmente virá pros seus braços
desejo que as quedas te lembrem
de estrelas cadentes
desejo que não se entregue a alguém
somente para escapar de você
desejo que se lembre de ser gentil
com quem você está se tornando
e desejo que saiba que talvez
você não volte a ser quem foi
e que isso é maravilhoso

cabeça, coração e eu
segurando os dois
numa corda bamba
pendendo sempre
para o mesmo lado:

é o meu peito
que me pesa mais.

carrego trovões
no meu peito
que ninguém escuta
todo mundo aparece
quando a chuva já passou

não quero me *suportar*
quero me apaixonar
pelos meus pedaços

*eu não quero que nossos filhos tenham
o seu nariz largo e a sua boca carnuda*
eu ouvi e concordei em deixar você
tentar me moldar em um padrão
no qual eu não caberia

você até sugeriu que eu usasse
um prendedor de roupas no rosto
ou que eu guardasse dinheiro
pras plásticas que apagariam
todos os meus traços de mulher negra
uma lembrança tão agressiva
que me apavora

e tem gente que me pergunta
se foi fácil romper silêncios

sentir na boca
o gosto ácido
de não ser
a única pessoa
beijada
por esses lábios
que encostados nos teus
te partem

de um lado eu
e todas as minhas urgências
do outro a sua voz dizendo

não se preocupe
ainda temos muito pra existir

não esqueça
o motivo
de nenhuma de suas
partidas.

escrevo para aquelas que no meio das horas sentem uma pontada forte lá dentro, aquela pontada que diz que estamos perdidas, aquelas que respiram fundo quando o pensamento invade

acho
que
estou
enlouquecendo

depois
voltam a si
e mesmo
cheias de incerteza
continuam.

olhe todas as que vieram
antes de nós
não há segredo
a potência de ser mulher
atravessa suas veias

somos fortalezas

nego,
você é forasteiro desse mundo
parece que veio de um lugar
onde amar é simples
onde as tardes em boa companhia
duram mais
onde nada maltrata o peito
onde quem se gosta
fica perto e fim
não inventa desculpa
nem se atola na própria correria
você está sempre com seu violão
sorriso largo
fumaça saindo da boca
dedilhando
me falando sobre música
sem ver a hora passar
nunca olho no relógio quando te encontro
porque quando inventei de fazer isso
a hora tinha corrido tanto
que já precisava ir
e fiquei maluca das ideias
querendo entortar os ponteiros com as mãos
pra fazer o tempo parar.

irônico e incômodo
conviver com as sobras de alguém
que só te ofereceu sobras

são bilhões de galáxias
tantas
que eu mal sei
a dimensão desse número
mas fico feliz
por termos nos topado
agora
no mesmo lugar

mantenho fortes elos com as coisas que me fascinam, por isso deixo transparecer esse aspecto mórbido de quem vive nas nuvens. deixo-me ludibriar fortemente por tudo que me encanta, por mais efêmero que pareça. é uma queda pelo que brilha, pelo que é atraente

a sua letra rasurada naquelas folhas de 1980
conversando comigo num sábado incomum
me reconhecer ali
e saber que sou filha
da poesia

por você eu recolhi trevos e versos
juntei as pedras mais bonitas
e construí uma redoma
pra te proteger
por você eu fiz sol
mesmo quando chovia em mim
por você recortei mapas
descobri a saída
de todos os seus labirintos

mas
e por mim?

que ideia mais estúpida
achar que é melhor sentir dor
a não sentir nada

elevamos o sentir a níveis tão errados
que preferimos atear fogo em nós mesmas
a conviver com nossos vazios.

por que você tentou tirar de mim
a força que tanto admirava?

o que você vai fazer com esse coração
que colocaram em suas mãos
diz bastante
sobre quem você é

você diz que é lindo me ver lutar
que eu sou uma mulher fantástica
porém não nota meus olhos exaustos
meu corpo curvado
não tenho comido direito há dias
estou por um fio
e como eu preciso de colo
e que você se recorde
que guerreiras também sangram

efeito colateral

quando a noite invade
e o que me acalma
é um pouco de você.

peguei metrô lotado
vi um bando de olhos cansados
amontoados no vagão
quando foi que todo mundo
meteu os pés pelas mãos?
a rotina da cidade
nos transtorna aqui dentro
mas saiba que a ternura
que quase ninguém vê
já deu conta de salvar
muita gente

da importância de encarar a si mesma

escolha seus melhores discos
e tire suas piores dores
pra dançar

não sei por que você joga pra mim
esse seu vício pelo que ficou pra trás
me desdobro pra viver entre seu passado
e nosso agora

a vida anda
e eu vou com ela
se você não vem
tudo bem
vou mesmo assim.

escuto umas canções
e cada uma delas
desperta uma mulher
diferente dentro de mim
sou muitas
em uma
e todas elas juntas
podem derrubar
guerras
presidentes
cidades
supremacias
regras
imposições

em carne viva

cravar pessoas no mais fundo de mim
significa que para arrancá-las
terei que vasculhar minhas entranhas.

das memórias quase tangíveis

te guardo dentro de uma tarde de verão
a brisinha do rio nas frestas do vestido
riso fácil no rosto

você me ensina
que viver está nas miudezas

vivemos ao contrário

difícil aceitar
era sua ausência
que me trazia paz.

em dias de tempestade e relâmpagos
me permito trovejar
poeta é bicho solto
sabe que quando tudo acaba
ainda restam os poemas
arrumei a casa essa semana
percebi que guardo pessoas em caixas
mas ainda não sei o que isso quer dizer
talvez eu enfie a saudade lá
e tape com fita adesiva
pra só remexer quando eu quiser
e fingir que tenho algum controle
sobre essas coisas todas do coração
o tanto do passado
me permitiu ser muito hoje
já faz tempo que não recuo
e revisito o que já passei
em caso de urgência
como quando precisamos resgatar memórias
pra compreender novas estradas
ou pra saber que hoje somos melhores
maiores, mais vivas, mais nós mesmas
dos poucos papéis que guardei ▶

▶ um deles dizia:
ryh, buda orixá
jesus shiva sei lá
não sei bem no que acredito
então deixo os deuses
e penso em gente:
acredito em você.
guardei pra lembrar que quando recebi esse bilhete
não botava fé em mim
mas agora é diferente
agora quem me guia é uma deusa preta
com chifres de búfalo
e toda manhã
sei que ainda há muito e que sou muito
e que então estou em sintonia
com o mundo e tudo o mais

em dias de tempestade e relâmpago
me permito trovejar
e proponho que você venha comigo
sem medo da chuva
sem medo, vem
e trovoa, trovoa

não desista
frase estampada
na boca de todos
que parecem não compreender
que muitas vezes
é melhor desencanar de vez
pra sermos salvas.

eu tirei a roupa
você sorriu numa malícia gostosa
sussurrando repetidamente
você é sensacional
sensacional

mas não o suficiente
pra você me dar as mãos
em público, não é?

como não vi o desequilíbrio
tão óbvio
você cinza
eu policromática

na memória você continua de pé
acordado trazendo pão quentinho da padaria
descascando manga pros seus netos
lendo quadrinhos de caubói
ou assistindo a filmes em preto e branco
comentando com a vó
das grandes atrizes dos anos quarenta

nós vamos sentir saudade

eu não sou o espetáculo
de alguns minutos
que você assiste
e vai embora
depois de as cortinas fecharem

eu sou longa temporada
que só fica em cartaz
pra quem sabe
se demorar

não foi dessa vez
ele pretendia confinar
ela pretendia viver.

em vez de perder noites
me descrevendo com rancor
pros seus conhecidos
quando se reunirem novamente
pode me chamar
que eu mesma faço
as saudações:

muito prazer
eu sou a mulher que lhe mostrou
que não se pode domar
nenhuma mulher

não é pra mim esse negócio
de ser imutável
eu quero é transitar
entre meus descaminhos
me transformar
reconhecer meus instintos
tô me desconstruindo

eu sou um universo
se expandindo

você faz questão de frisar
que comigo se sente
invencível

o que poderia ser elogio
se pra mim não fosse
o oposto

quando te vejo
fragilizo.

a cantora de blues

naquele calor do cacete do rio de janeiro você tirou a minha roupa com mais vontade que qualquer outra pessoa, me agarrou forte pela cintura, tentando grudar cada pedaço do meu corpo no seu, suamos e lambemos o nosso suor e nos lambuzamos e você sabe que não havia medo algum, só quarenta graus às oito da manhã, o resquício da bebedeira na lapa, o nascer do sol no leblon e a nossa pira infinita em nós.

em tantos anos
nunca mencionou
que há belezas
em mim

ela parecia
aqueles
fogos de artifício
tudo nela brilhava
e queimava
antes de apagar
e virar poeira

prólogo

maya angelou
dizia afiar o lápis
em suas cicatrizes
antes de escrever

é assim mesmo
a poesia estanca a minha ferida
e a de quem lê

quando perguntarem de mim
diga que fez o possível
mas não conseguiu me estragar

não confunda desabar com desistir

te vejo distraindo tuas dores
e o que te falta de verdade
é deitar no chão de casa
e sentir e chorar e apertar os olhos

se esvazie de suas agonias
para que novos rios
corram dentro de você.

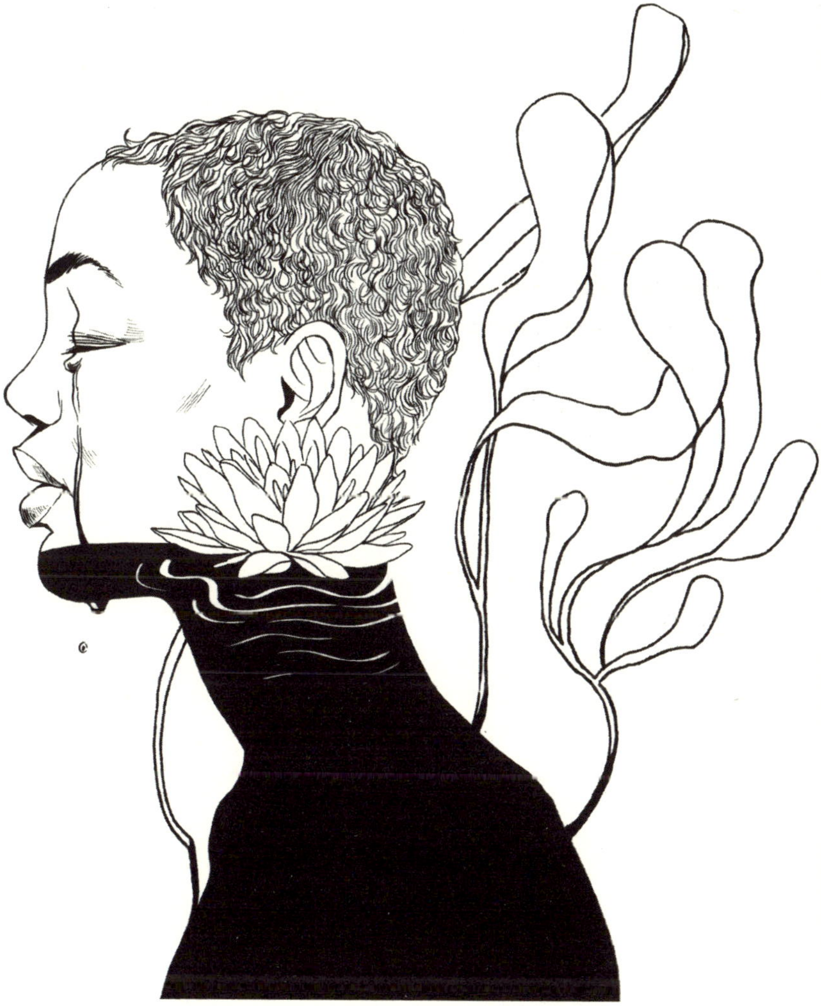

tem dias que desaprendo a ser leve
e me pego esperando
quando o peso das coisas
vai vir me beijar.

lembrete

não cair aos pés de ninguém
mas sim me dividir
com quem nunca deseje
meus joelhos e meu rosto
rentes ao chão.

se você acha que o amor
não deve machucar
você está certa

para tudo que destrói
e é violento
damos o nome
de abuso

sabe, eu vou fugir desse lugar
prometo que te mando uns postais

você odiava quando eu falava assim
mesmo sabendo que não passava
de uma brincadeira
e que ali, bem perto, na mesma casa
te escrevi por muitos dias
sem resposta

te vejo tomar café e sei que você nem gosta de café. você sempre preferiu chá, porque café dá dor cabeça. o que você anda tomando já é resquício do que estamos passando. eu tenho colocado bilhetes pela casa pra lembrar o que preciso fazer, mas ando tão ruim da cabeça que me esqueço de olhar as paredes. o problema é que você não sabe onde nos perdemos, mas eu sei. eu sei onde você me perdeu e ainda assim insisto. e, enquanto te vejo tomar café sem coragem de olhar pra mim depois de todas as merdas que fez, me sinto culpada por ainda estar aqui. você ataca minha ansiedade e meu coração na mesma velocidade

ficar quando precisamos partir deixa as coisas fora do lugar.

você sentava na sala e tocava violão
pras suas filhas
e essa lembrança me faz acreditar
que você sabia ao menos um pouco
sobre amor

nós somos dois discos riscados
quando tocados ao mesmo tempo
se complementam.

pode vir
que eu olho nos olhos
não me escondo
bato de frente
percorro estradas
como quem já aprendeu
a cruzar o fogo
sou bicho feroz atrás
do que acredito
sou filha de oyá

procura-se

quem não leve embora
o brilho dos meus olhos

caso não saiba lidar
tente começar não dizendo que depressão
é uma bobagem

o tanto que usei *se eu pudesse*
quando na verdade eu podia

infelizmente demora demais
pra reconhecermos nosso tamanho

não sei se um dia esses poemas vão se perder
mas enquanto eu puder gritá-los
vão me lembrar quem eu sou.

vivemos ao contrário II

a gente era triste
e sabia

a grande discussão dos homens
decidindo se mulheres devem ou não ter filhos

como é ter tanta banca pra falar
de um corpo que nem é seu

eu costumava amar até me arrebentar
e aceitava todos os convites que diziam
vem se quebrar comigo

os recomeços me ensinaram:
quero ser inteira
e nada mais.

meu nome significa
o primeiro raio de sol de manhã
sou recomeço
sou faísca
feixe de luz

mas quando nasço pra valer
posso cegar

sobre se dar conta

eu beijo tudo que te dói
passo os dedos nos teus cabelos
vou tirando teu monte de problemas daí
quando vejo eles estão todos emaranhados pela sala
fáceis pra varrer depois
mas nos meus apertos ninguém mexe
e não pode ser assim que as coisas funcionam
esse cuidado que vem de um lado só
esse abandono a dois.

antes de
se afundar
novamente
no que já passou
se lembre
do porquê
de ter
ido embora.

você tem vergonha
da minha intensidade
e eu já não ocupo espaços
onde eu tenha que me abreviar

venho com a carga do que já passei
nem por isso eu vou depositá-la
em cima de você

nem os livros
nem os terapeutas
nem os discos
nada explica
tudo o que se move aqui dentro
quando você me olha

quando fecho os olhos ainda escuto sua voz cantando os versos que tanto disseram sobre nós naquelas madrugadas tão pesadas. lembra como era bom não arder sozinho? a nossa estrada é a mesma, e eu espero que as noites sejam menos assustadoras agora. espero que nenhuma das nossas palavras seja perdida e que as ruas de são paulo soprem histórias bonitas e reais sobre você. se sentir medo, me escreve, canta, me diz. que quando eu estava perdida entre os amargos de mim você me falou

eu jamais questionaria sua doçura
é inabalável

e eu nunca esqueci. meu bem, a poesia está em tudo. vivemos essa história juntos, inevitavelmente. a despedida de casa, a fumaça na garganta, o frio que corta o rosto, a esperança do sonho, as paixões que fazem o sangue tremer. você sempre esteve lá. estou seguindo em frente e sei, eu sei, que vou escrever poemas enquanto você escreve músicas e canta como quem quer esquecer os demônios que um dia habitaram aí dentro e também aqui.

da vida
eu quero
poemas
orgasmos
almas entrelaçadas
batimentos livres
trocas sinceras
e revolução

sou vendaval
e te convido
dança comigo
nessa tempestade
que é ser eu?

vem aqui em casa
abre uma cerveja
me conta de você.

você e eu jorramos vida

ainda bem que alguns nomes
desses que decidimos guardar
nesse coração que vive a golpes
ainda soam suaves

cê fez falta, viu?
qualquer dia vem de surpresa
pode tocar o interfone
me dê notícias
sobre o descompasso
sobre o belo
sobre o medo

sua verdade não me espanta
me dê notícias
deixa essa de entalar
tudo na garganta
eu adoro te escutar.

primeiras impressões

ela diz

você deve ter sete vidas

eu respondo

senta aqui pra eu te contar
sobre as que já perdi
sobre quando renasci.

quanto a mim
serei poesia
até o fim

nesse universo de mulheres eu aprendo sobre cura, amor, luta, cuidado e uma porção de coisas mais. aprendo que a poesia é mesmo uma troca. obrigada a cada mulher que me escreveu dizendo que depois de me ler se sentiu maior: eu continuo por nós. obrigada carol, tamy e sarah pela fé em mim e na minha escrita. obrigada a minha mãe luzia, que é uma fortaleza de amor. a minha vó nice, que me perguntou sobre o livro em todas as nossas ligações. a toda a minha família e aos amigos de cuiabá que se mantêm quentes no meu coração. a minha mãe de santo paula de yansã, que me mostrou no candomblé uma estrada de respeito e axé. a yansã e ogum, meus pais que me protegem com espadas e tempestades. as minhas ancestrais que permitiram que eu fosse a continuidade de suas raízes. a stephanie ribeiro, por indicar uma mulher negra para esse projeto. a jéssica balbino, por ter me levado pra declamar pela primeira vez. ao slam das minas – sp por mostrar às minas e as monas que existem caminhos de resistência. a todos os saraus periféricos de são paulo que já me acolheram nas noites em que ouvimos e somos ouvidas. e a todos os seguidores e colaboradores que me apoiaram pra que esse livro ficasse exatamente assim: pudesse abraçar a gente.